Catalogage avant publication de Bibliothèque
et Archives nationales du Québec et
Bibliothèque et Archives Canada

Chabot, Claire
Zut ! Flûte est excité
(Zut de Flûte !)
Pour enfants de 5 ans et plus.

ISBN 978-2-89512-857-1

1. Agitation (Psychologie) - Ouvrages pour la jeunesse. I. Després, Geneviève. II. Titre. III. Titre : Flûte est excité.

BF575.A35C42 2009 j152.4 C2009-940196-7

Dépôt légal : 2e trimestre 2009
Bibliothèque et Archives du Québec
Bibliothèque nationale du Canada

Directrice éditoriale : Claire Chabot
Réviseure-correctrice : Corinne Kraschewski
Droits et permissions : Barbara Creary
Graphisme : Dominique Simard

Dominique et compagnie
300, rue Arran, Saint-Lambert
(Québec) J4R 1K5
Téléphone : 514 875-0327
Télécopieur : 450 672-5448
Courriel : dominiqueetcompagnie@editionsheritage.com
www.dominiqueetcompagnie.com

Imprimé au Canada

Nous remercions le Conseil des Arts du Canada de l'aide accordée à notre programme de publication.

Nous reconnaissons l'aide financière du gouvernement du Canada par l'entremise du Programme d'aide au développement de l'industrie de l'édition (PADIÉ) pour nos activités d'édition.

Nous reconnaissons l'aide financière du gouvernement du Québec par l'entremise du Programme de crédit d'impôt pour l'édition de livres – SODEC – et du Programme d'aide aux entreprises du livre et de l'édition spécialisée.

Zut !

Flûte est excité

Claire Chabot
Illustrations de Geneviève Després

À Daphné et Antoine, mes amours — C. C.

À tous ceux qui savent regarder la beauté et la personnalité de chaque animal. — G. D.

Dominique et compagnie

Salut Flûte ! Je serai au festival des Autruches de Zazouville...

– **Youpi laye youpi dou dou dou dou...**, chante Flûte à tue-tête.

Puis, il se met à courir comme une autruche folle autour de la table jusqu'à ce que...

Badaboum ! Il renverse une chaise, fait une pirouette et se retrouve les jambes prises dans les barreaux. **Aïe !**

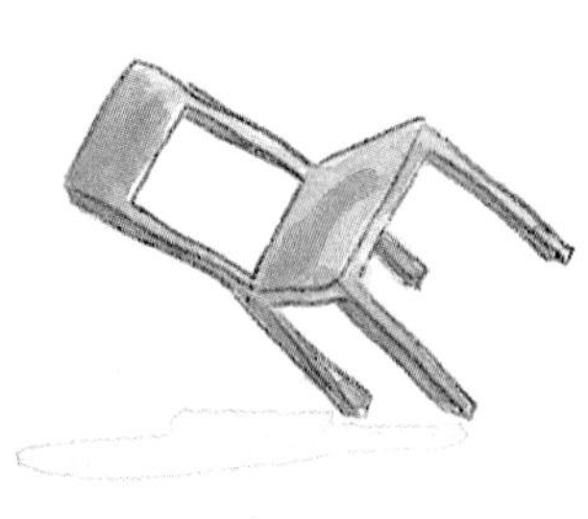

12
21
20
19
18
Printemps!
28
27
26
25
oncle Saxo!
Festival

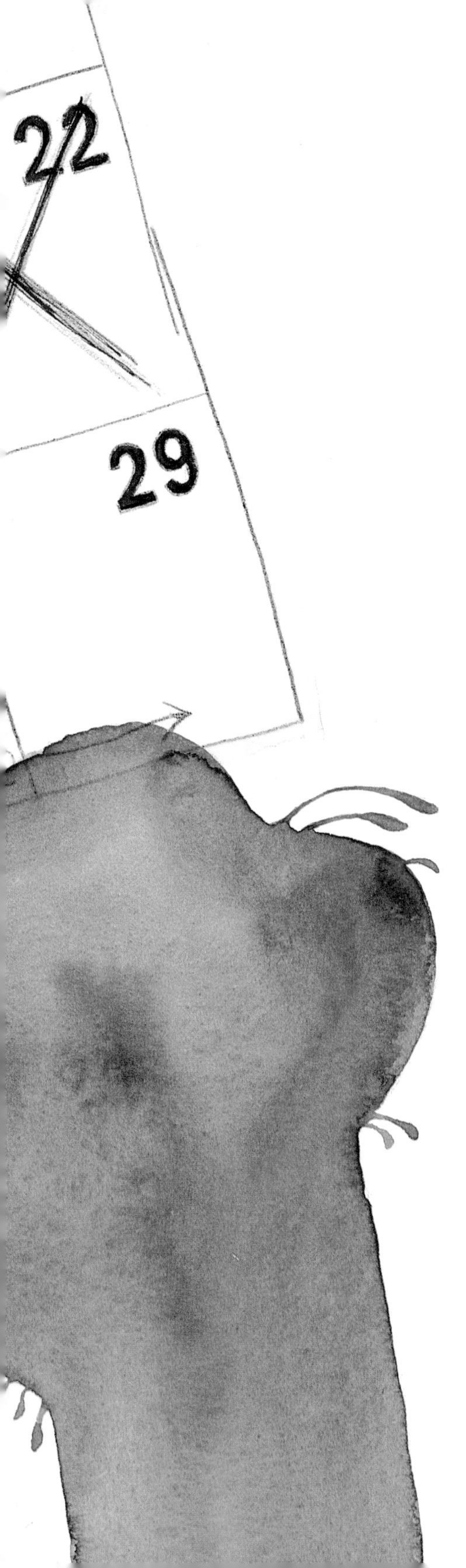

Flûte regarde son calendrier.

Il trace un gros **X** sur

la case d'aujourd'hui.

Encore trois jours avant

l'arrivée de son parrain.

Depuis qu'il a appris

sa visite, il sent son cœur

battre comme un tambour.

Boboum...
Boboum...

– **Quel désordre,**

s'écrie Flûte en entrant dans sa maison.

Que va dire oncle Saxo s'il voit ça ?

Avec son plumeau, il enlève toute

la poussière et met tous les journaux

dans le grand bac de récup.

Que se passe-t-il avec Flûte ?

Faire le ménage le rend joyeux !

Au marché, Flûte achète des œufs,

de la farine et des petits fruits.

Il va faire le dessert préféré

de son parrain : un gâteau renversé.

Dans un grand bol, il mélange

tous les ingrédients quand...

slouche. Il éclabousse de pâte

tous les murs de la cuisine.

Zut de flûte !

Quel dégât ! Au lieu de

bougonner, Flûte nettoie le plancher et

recommence à cuisiner en sifflotant.

L'autruche a le cœur léger

en pensant à la joie de son parrain

quand il lui offrira son

super gâteau renversé aux petits fruits !

La veille du Festival des autruches, Flûte, Clarinette et Banjo décorent l'entrée des maisons de fleurs et de plumes colorées.

— Je suis si content que mon oncle Saxo arrive demain, s'écrie Flûte, tout joyeux.
— Tu as de la chance d'avoir un parrain globe-trotter, dit Clarinette.

– Grobe-tro... quoi ?

— Un globe-trotter est celui qui parcourt le monde, déclare Banjo d'un air savant.

Le **jour J** est arrivé. Banjo est perché sur le plus grand arbre de Zazouville et surveille l'arrivée des visiteurs. Toute la ville a un air de fête et ses habitants ont mis leurs vêtements les plus extravagants.

– Ton oncle Saxo est là, crie Banjo qui a mis ses couleurs arc-en-ciel pour l'événement.

— Es-tu sûr que c'est lui ? demande Flûte, un peu nerveux.

— Je reconnais son chapeau d'explorateur, celui qu'il porte sur la photo de ta chambre, précise Banjo.

Flûte tient son gâteau dans ses mains.

Il a peur de le faire tomber.

— Comment appelle-t-on un gâteau renversé...

renversé ? pense Flûte en riant tellement

que l'assiette glisse... sur le dos de Clarinette.

Ouf !

Il aperçoit son parrain qui s'approche et

lui fait un clin d'œil.

– **Bonjour oncle Saxo**, dit Flûte,

tout content.

Oncle Saxo prend le gâteau que lui tend Flûte

et en mange une grosse bouchée.

– **Mmmm ! Délicieux !**

Qu'est-ce que tu as grandi, mon petit Flûte,

s'exclame oncle Saxo. Tu n'étais qu'un autruchon

la dernière fois que je t'ai vu.

– Je je je... *veux* être aussi grand que toi,

oncle Saxo ! murmure Flûte.

Puis, Flûte monte sur le dos de son parrain qui se met à courir en zigzaguant parmi les passants. Tout à coup, Flûte entend un joli sifflement.

piou PIOUT PIOUT PIOOOOOUUUUUUU...

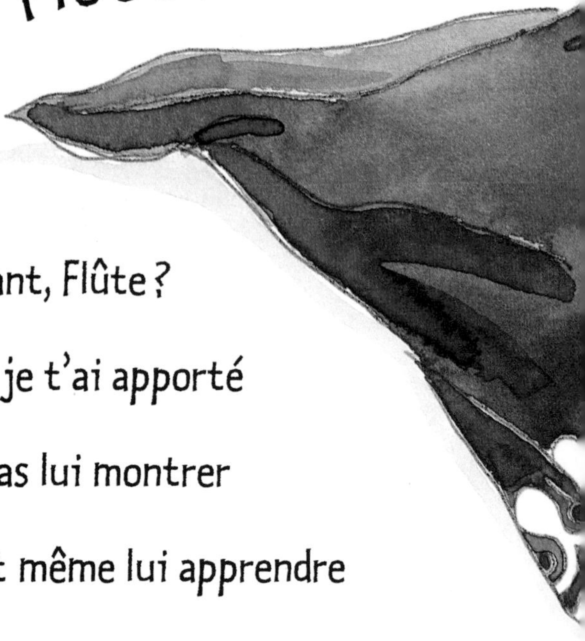

— Tu entends ce chant, Flûte ? C'est un oiseau que je t'ai apporté en cadeau. Tu pourras lui montrer de jolies mélodies et même lui apprendre à parler.

Oncle Saxo sort de son sac un minuscule oiseau, un peu chiffonné par un si long voyage.

piou PIOUT PIOUT PIOOOOOUUUUUU...

— Un jour, j'explorais une forêt tropicale, raconte oncle Saxo. J'ai trouvé cet oiseau dans mon chapeau. Il était à peine sorti de sa coquille et il était seul au monde.